Manon Uphoff

De vanger NOVELLE

Uitgeverij Podium · Amsterdam

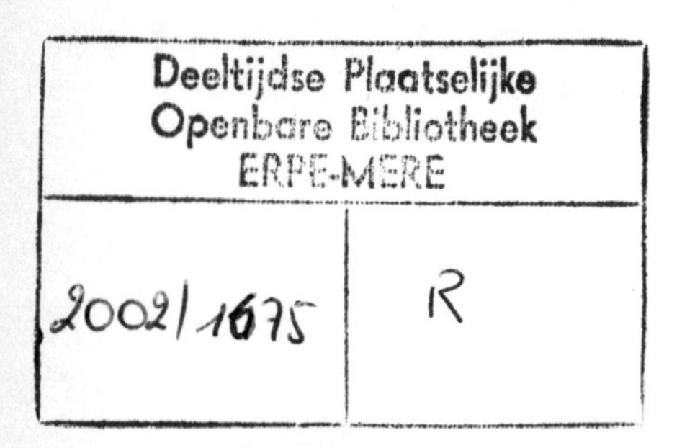

Omslagontwerp Studio Ron van Roon
Foto omslag Kato Tan
Typografie Josepha Hulskes
Foto auteur Maarten Corbijn

Verspreiding voor België: Van Halewyck, Leuven

ISBN 90 5759 384 X

www.uitgeverijpodium.nl

VOOR P

Und laß uns die Gespräche rascher treiben
Denn wir vergaßen ganz, daß du vergehst

Bertold Brecht – *Entdeckung an einer jungen Frau*

Het huis was oud. Verwaarloosd. Toen ze een meisje was, woonde de vrouw er met de vader, de moeder en de vijf broers. Maar de broers groeiden op. Een voor een verlieten ze het huis. En de vader werd oud, ziek en stierf, en vanaf dat moment was ze er alleen.

*

In de kamer waar hij maanden heeft gelegen, zijn de zware gordijnen nog steeds gesloten. Onder het verhoogde ziekenhuisbed staat een po met een deksel. En op het tafeltje naast het bed liggen nog veel van zijn spullen: het versleten leren omslag van een agenda, een pijp, een vulpen, een kunstboek.

De vrouw staat bij het bed. Haar hand raakt even licht de lakens en dekens aan, dan gaat het gebaar, dat lijkt op strelen, over in het praktische rechttrekken van lakens en dekens. Ze kijkt naar het kastje met de voorwerpen en gaat voorzichtig op de rand van het bed zitten. Pakt de vulpen. Speelt ermee. Haalt de dop eraf. Zet hem er weer op. Erop. Eraf. Erop. Eraf. Legt hem terug. Slaat het kunstboek open. Er valt een foto uit van een vrouw met slordig opgestoken haren. Haar gezicht is alleen van de zijkant zichtbaar. Even draait ze haar hoofd in dezelfde richting, dan legt ze de foto terug en sluit het boek. Later, als ze opstaat en de gordijnen opent, schrikt ze van het licht dat plotseling door de kamer valt, van het stof dat begint te dansen en te deinen op de banen. Sluit ze haastig.

Gaat de kamer uit en loopt de lange gang door. Overal aan de wanden hangen foto's. Zwartwitfoto's van lang geleden, toen ze kinderen waren.

Dat de vrouw in het huis zou blijven, had haar vijf broers volkomen natuurlijk geleken. De voorwaarden waaronder dit zou moeten gebeuren (ze zou zorg dragen voor de nalatenschap, en voor het herstel en de renovatie van de ouderlijke woning) werden officieel bij de notaris vastgelegd.

De notaris heeft last van een flink aantal kleine hebbelijkheden, die hij tijdens de bespreking van de overeenkomst een voor een tentoonspreidt. Hij raakt meerdere malen zijn neuspunt aan, trekt twee keer aan zijn onderlip en tikt met zijn wijsvinger tegen elk vel van de overeenkomst. Haar broers luisteren alsof het ze allemaal welbekend is. Jongste draait aan zijn manchetknopen, alleen Oudste kijkt haar af en toe aan. Ze tekent.

Na afloop, na het handen schudden, het praatje in de hal van het kantoor, nemen ze afscheid van elkaar. Luidruchtig, zoals bij mensen tussen wie de intimiteit al is gaan eroderen.

Het zou gemakkelijk zijn om van de man te zeggen: hij is timmerman, en groot en goedgebouwd, zijn lichaam verleent gewicht en geluid aan zijn voetstappen, je kunt horen waar hij loopt, maar misschien is het genoeg te zeggen dat hij groot en zwijgzaam is. Als er zoiets bestaat als een speciale kwaliteit, een eigenschap die zich los van andere laat waarnemen, een element waarmee een mens het best kan worden gekarakteriseerd en samengevat (ook al vrezen we dit van alles het meest) dan geldt voor de man: stilte ligt diep in hem ingebed. Over hem zouden vroegere meisjes zeggen dat hij – hoewel niet zonder hartstocht – afwezig met ze had geslapen, al leek hij soms verwonderd over de warmte en energie die zich kan ophopen in hun lenige, gladde ledematen, en was hij af en toe ontroerd door de magerheid van hun witte benen of de rode huid rond hun knieën.

Later wist de man zich te herinneren dat – toen de vrouw hem binnenliet – op haar gezicht duidelijk te zien was dat ze moe was. Ze had hem traag de hand geschud en haar ogen waren opgezwollen, alsof ze had gehuild. Eigenlijk vond hij die eerste dagen alles aan haar langzaam, alsof ze in een roes verkeerde.

*

Ze lopen samen door de lange gangen, langs de verschillende kamers, die de vrouw hier en daar voor hem opent.

Met pen en aantekenblok in de aanslag kijkt hij zorgvuldig rond, maakt – terwijl ze voor hem uitloopt en hem de te repareren dingen wijst – nu en dan een notitie. Geroutineerd glijden zijn handen langs deurlijsten, zijn knokkels bekloppen het hout. 'Het is allemaal erg oud,' zegt de vrouw verontschuldigend. 'Mijn vader heeft hier heel veel zelf gemaakt.' Ze gaat hem voor de trap op. 'Hij had natuurlijk niet altijd de goede materialen.'

De man klopt op een stuk besneden houtwerk. 'Maar dit is heel goed gedaan,' zegt hij.

En in het hele huis, langs alle wanden, heeft hij de foto's gezien. Van een vrouw met een mooi, maar onbenaderbaar gezicht en donkere, in elkaar overlopende wenkbrauwen, met wie ze enkele trekken leek te delen. Van jongens in stijve overhemden, op volgorde van grootte gegroepeerd achter een meisje met een witgeschminkt gezicht in een lange bloedrode kimono. En ook een foto van een grijze mastiff naast een lange man in een jas, en tal van andere vreemd aandoende, maar desolate foto's. Zowel van binnen als van buiten, vond hij, straalde het huis verloren grandeur uit.

De vrouw leidt hem door de tuin. Wijst naar de gevel, de bekapping, de kozijnen. Op het gras staat een ouderwetse handgemaakte schommel, waarvan het hout aan de zitting is aangetast en de blauwe verf afgebladderd. Als ze zich omdraait, kijkt hij even naar haar. Ze draagt laarzen die knellen bij haar kuiten.

*

Het verbaasde de man later: de scherpte van zijn herinnering.

In de dagen daarna – toen hij al volop bezig was met de herstelwerkzaamheden buiten, aan de gevel – zag hij haar soms door de ramen, in de verschillende ruimtes van het huis, bezig met het ordenen en catalogiseren van foto's en documenten.

En de vrouw zag de man terwijl hij bezig was. Zo kwam het dat ze – zonder dit van elkaar te weten – al gewend raakten aan de geluiden van elkaars voetstappen.

*

Op een dag, terwijl de vrouw luistert naar de geluiden van buiten, de man hoort lopen naast het huis, hem achter het raam heeft zien bewegen als een schim, stopt ze waar ze mee bezig is: het zorgvuldig schoonmaken van het jachtgeweer van haar vader, staat op en loopt naar de keuken.

Het schemert. In de keuken staat het bovenraampje open en ze kijkt naar de geiser en de gasvlam die flakkert in de tocht, de doek waarmee ze het geweer heeft gepoetst in haar handen. Kijkt naar buiten. Dan opent ze de koelkast en schenkt een glaasje jenever in. Zet de fles terug. Kijkt opnieuw door het raam in de keukendeur. Opent de koelkast weer en neemt de fles eruit.

Met het drankje op het blad loopt ze naar buiten. Daar staat ze even – zoekend.

De man bevindt zich boven haar, op de steiger. Hij kijkt naar haar.

'Het is koud,' zegt de vrouw. 'Nog een kwartier, dan is het donker.'

Hij knikt. Klimt naar beneden en neemt het tulpvormige glaasje van het blad. 'Het huis is erg groot,' zegt hij. 'Het vraagt meer tijd dan ik dacht.'

'Niet als je met veel mensen bent,' zegt ze. 'Dan is het soms te klein.'

Hij drinkt het glaasje rustig leeg. Zet het terug en bedankt.

'Als je er nog een wil...' Ze zegt het in een vlaag van paniek. Denkt: als hij het leeg heeft, zal hij weggaan.

'Tegen de kou...' zegt ze.

De man kijkt naar de handen van de vrouw, naar de korte, afgekloven nagels waar de vingertoppen als de kussentjes onder aan een kattenpoot overheen groeien.

De lucht is donkerblauw. Tussen de donkere struiken glanst zijn zilverkleurig busje en licht het op tussen het groen. Ze kijken er even naar.

''s Ochtends kan ik hem altijd meteen horen, als hij er aankomt,' zegt de vrouw. 'Al rijden er nog zoveel auto's, dan haal ik hem er toch tussenuit.'

Ze schrikt. Even lijkt het erop dat ze zich wil omdraaien.

Dan is daar plotseling zijn hand tegen de achterkant van haar hals, zijn droge, koele palm die stevig en rustig tegelijk tegen de huid drukt. Eerst is hij bang dat ze weg zal lopen, maar ze loopt niet weg, ze blijft staan en even later buigt ze haar hoofd en voelt hij de tegendruk van haar hals tegen zijn hand.

Door het raam ziet hij de lege woonkamer. De tafel waarachter ze heeft gezeten, de spullen die ze er slordig op heeft achtergelaten.

De man is gulzig en gretig. Hij duwt zijn hoofd tegen haar aan zoals een hond zijn kop in je schoot drukt. Houdt haar zo stevig vast dat ze kermt.

'Meisje,' zegt hij.

En ook dat het lang geleden is dat hij bij een vrouw was.

Ze liggen naast elkaar. Op de grond staat een dienblad met etensresten, met lege koffiekopjes, schaaltjes en glazen. Het is duidelijk dat ze bijna de hele dag in bed zijn gebleven.

'Was dit altijd je kamer?' vraagt de man.

'Sliep je hier toen je een meisje was?'

De vrouw kijkt rond alsof ze de ruimte voor het eerst ziet. Er hangt niets aan de wand. De muren zijn helemaal wit.

'Nee. O nee,' zegt ze. 'Ik had een enorme kamer. Mijn kamer was net een boudoir... bloemenbehang... spiegels... Ik kon mezelf overal zien... altijd.'

Ze kijkt hem aan.

'Nu heb ik liever een lege kamer,' zegt ze.

*

Met een haast die anderen zorg zou hebben gebaard, hechtten ze zich aan elkaar en na een tijdje was het alsof de man al bijna was ingetrokken. Beiden bleven bezig met de eigen taken. De vrouw met het catalogiseren en opruimen van de dingen die haar vader aan de wereld had gelaten, ze betastend en ordenend met lichte vingertoppen. De man herstelde het huis. Bracht het terug in de oude staat. Zorgde ervoor dat beetje bij beetje de authentieke tegels onder de verrotte houten vloer vandaan kwamen, dat oude panelen werden hersteld, kozijnen vervangen, de trap zijn stevigheid herwon.

Ze hield er erg van te horen hoe hij bezig was, de geluiden van de verschillende werkzaamheden.

De vrouw loopt door de gang naar de kamer waar haar vader de laatste maanden van zijn leven had doorgebracht. Opent de deur en wacht. Nog steeds staat daar het hoge ziekenhuisbed met de lakens en de dekens en liggen zijn spulletjes zwijgzaam op het kastje. Het is er donker, bedompt en benauwd.

Ze schuift de gordijnen opzij, opent de ramen, begint met het afhalen van de lakens en de dekens. Zijn spullen verzamelt ze als volgt: ze neemt de kamerjas van het haakje, spreidt hem open en legt ze in de jas, die ze opvouwt tot een zo klein mogelijk pakketje, een bundeltje, dat aan de ceintuur omhooggehouden kon worden. Met het pakketje op schoot zit ze nog even op bed. Luistert naar de werkgeluiden beneden. Zijn steunend ademhalen.

Als ze hem waste en het water over zijn rug op de schapenvacht druppelde, rilde hij. Moest hij plassen, dan hielp ze hem met een zakje dat om zijn krimpend lid werd vastgemaakt. Ook schoof ze de witte po onder zijn billen. Zijn huid was dun en zacht geworden als sitspapier.

In de hoge, donkere kast een eindeloze rij maatpakken. Op planken witte dozen met schoenen. Stropdassen op speciaal daarvoor bestemde hangertjes. Ze neemt een rij pakken uit de kast. Legt ze met hangertjes en al op het afgehaalde bed. Opent een ander deel van de kast. Rijen en rijen overhemden. Aan de binnenkant van de kragen zwart met goud bestikte merkjes.

Hij was uit het leven gegleden, zacht en eenvoudig als een jongen op een slee, op een koude winterdag – rode wangen, een dikke jas – op een slee die begint te glijden. Eerst langzaam, dan met hogere snelheid, en een kort moment van schrik als de dingen in elkaar overvloeien: boomluchthuistuinheuvel boomluhuistuiheuveleuvel, en de vaart almaar groter en groter wordt.

Beneden in de gang is de man wrikkend bezig houten planken weg te halen, zodat de oude tegels eronder zichtbaar worden. Een zwaar en moeizaam karwei. Hij moet het hout echt wegsteken hier en daar. Als hij opkijkt, de koevoet in zijn hand, staat ze bovenaan de trap met een paar overhemden over haar arm. Ze staat stil, alsof ze hem iets wil vragen.

Dan loopt ze terug naar de kamer en hangt de overhemden, die koel en zijdeachtig aanvoelen, weer terug.

Met de lakens passeert ze de plek waar hij werkt. Hij streelt haar kuit terwijl ze langsloopt. Ze staat even stil, laat hem rustig haar kuit strelen. Dan loopt ze naar buiten, de tuin in.

Door de openstaande deur ziet de man hoe ze een jerrycan leeggiet over een stapel lakens die ze in het midden van de tuin heeft gelegd. Ze zit op haar hurken, het doosje *säkerhets tändstickor* in haar handen. Neemt er een lucifer uit, strijkt de zwavelkop langs de kant en steekt de lakens aan. Wacht. Als ze echt goed branden, staat ze op en gaat op het bankje zitten. Kijkt met veelvuldig knipperende ogen naar de brandende hoop. Rookt langzaam een sigaret.

Geluid van opwapperende lakens in vlammen.

Geknetter.

Een vrouw die met een stok in het vuur pookt.

Kleine stofdeeltjes die opwaaien.

Hij staat in de hal, kijkt naar haar, maar durft niet naar buiten.

*

De eerste tijd leefden ze bijna afgesloten van de buitenwereld, in een tijd die niet opengebroken kon worden, en niet verstreek, met nachten en dagen die zo lang of kort duurden als ze wilden. Ze sliepen in de verschillende slaapkamers en trokken, speels als kinderen, van de ene naar de andere kamer, alsof ze het huis niet hoefden te bewonen maar er gasten waren. Betrokken uiteindelijk de laatste kamer aan de gang. Een die niet te groot en niet te klein was en ze vanzelfsprekend opnam.

Als ze sliepen, lagen ze zwaar en dicht tegen elkaar aan.

Weken verstreken. Het was alsof er een laken rond hen kwam te hangen, een dun doek waardoor ze van de buitenwereld werden afgeschermd.

*

'Ik ga een bed voor je maken,' zegt de man, hardop peinzend. 'Hier in deze kamer. Van mooi, oud hout.'

'Een bed?' zegt de vrouw.

Er valt een stilte waarin ze zijn vingers buigt en vouwt en aan zijn vingerkootjes trekt tot ze knakken.

Dan komen beiden overeind en kijken de kamer rond, alsof ze nadenken over het toekomstige bed. De vrouw laat de hand van de man los.

'Hoe groot gaat het worden?' vraagt ze verwachtingsvol.

'Wat?' zegt hij.

'Het bed natuurlijk. Het bed dat je voor ons gaat maken.'

'O, heel groot,' zegt hij. 'Reusachtig groot. Hier. Van wand tot wand.'

Hij beweegt zijn armen en handen om aan te geven hoe groot. De vrouw volgt zijn blik en handgebaar. Glimlacht.

Ze gaan weer bij elkaar liggen.

'Dan kunnen we er gaan wonen,' zegt ze. Ze streelt zijn arm en pols terwijl ze dit zegt. Kust zijn hand. Dan verdwijnt de glimlach van haar gezicht en komt er een trek van bezorgdheid op te liggen.

'Het is toch niet iets wat je gewoon maar zegt hè?' zegt ze. 'Van dat bed? Je gaat het toch echt maken?' Het wilde slaan van haar hart verbaast haar. Alsof er grote dingen staan te gebeuren.

Maar de man antwoordt niet meer, hij heeft zich in de lakens gewikkeld en slaapt.

*

In de weken daarna stortte hij zich met overgave op het bouwen van het bed. Droeg zware panelen naar binnen, die hij in de woonkamer verzamelde en bij elkaar zette. De oude tegelvloer was gedeeltelijk zichtbaar maar nog niet alle planken op de vloer waren weggebroken.

*

'Wat is dat?' vraagt de vrouw. De man laat haar een stuk besneden hout zien. Geeft aan hoe hij het tegen het toekomstige bed wil plaatsen. Kijk. Zoals op een boot. Zoals op een boot met een boegbeeld.

Ze kijkt naar het zware, antieke paneel. 'Het is wel erg donker,' zegt ze.

'Dat is het soort hout,' zegt de man. 'Dat is omdat het zo oud is.' Liefdevol houdt hij het in zijn handen. 'Kijk, zo,' zegt hij.

Dan durft de vrouw het hem niet meer te zeggen, dat ze het te somber vindt.

*

Kwam een van haar broers langs om poolshoogte te nemen, dan gleden beiden terug in hun oude rol, met een soepelheid en vanzelfsprekendheid die hen zelf niet opviel. Hoewel ze allebei wisten dat hij na de voltooiing van het huis weer zou gaan werken aan andere projecten, hadden ze er niet over gesproken.

Maar het viel hem zwaar om elke dag de omslag, de overgang van huis naar werk te moeten maken. Tijdens zijn werkzaamheden dacht hij aan de vrouw, en aan het eind van iedere werkdag haastte hij zich naar huis.

De eerste weken was het alsof een grote hand het huis zou kunnen openen als een kist, en haar eruit kon nemen. Het huis klonk hol als hij terugkeerde. Soms stond hij verloren op de tegels.

Het liefst hadden ze de deuren gesloten. Er zware ijzeren kettingen voor gehangen.

Ze begonnen spelletjes te spelen.

*

Een keer als hij thuiskomt, heeft ze zich voor hem verstopt in de gangkast.

Het is al donker als hij aan komt rijden en zijn auto bij het huis parkeert. Binnen, in de gang, roept hij haar naam. Ze zit op haar hurken tussen de dicht op elkaar gepakte jassen, op een klein spleetje licht na is het donker in de kast. Met moeite onderdrukt ze het zenuwenlachje.

De man hoort het geluidje, beseft waar het vandaan

komt, maar laat niets merken en roept opnieuw haar naam. Hij heeft zijn jas uitgetrokken en houdt hem over zijn arm terwijl hij met harde stappen door de gang loopt en haar naam roept. Voorzichtig opent hij de gangkast een klein stukje en steekt zijn hand naar binnen. Hij tast en zoekt, maar voelt alleen jassen en nog meer jassen. Hangertjes slaan tikkend tegen elkaar.

De vrouw ziet zijn hand niet, maar voelt hem. Zodra ze hem voelt, gilt ze en stuift naar buiten, recht zijn armen in. Ze is spiernaakt. Lachend drukt ze zich tegen hem aan.

'Wist je het?' vraagt ze. 'Wist je het al?'

De man houdt haar dicht tegen zich aan. Klemt zijn armen om haar heen. Voelt haar warmte door zijn jas naar binnen dringen.

'Nee,' zegt hij. 'Ik hoorde wel iets.'

'Wat dan? Wat dacht je dat je hoorde?' vraagt ze gretig. Verwachtingsvol kijkt ze naar hem op.

'Wist je dat ik het was?'

De man denkt na. Maakt zich iets van haar los.

'N...nee, nee, ik dacht... misschien een dier. Een dier in een strik,' zegt hij.

De vrouw reageert verrast. Onder de indruk van het beeld dat hij gebruikt.

'In een strik?' vraagt ze.

'Ja,' zegt hij, aangemoedigd. 'Zoals in het bos – als je jaagt. Een klem, voor een muis, een haas.'

'Maar *ik* was het,' zegt de vrouw.

'Ja, jij was het,' zegt hij. (Haar borst die in het donker aanvoelde als een stukje brood.)

Er valt een stilte.

Koude lucht komt in dunne vlagen onder de deur door zetten. Aarzelend staan ze in de gang.

De man ziet het kippenvel dat over haar armen en benen trekt, haar dunne enkels, de blote voeten op de zwart met witte tegels.

'Je wist het al hè? Je wist het toen je de kast opendeed!' zegt de vrouw. Ze verstapt. Huivert licht.

'Nee, eerlijk,' liegt de man. 'Ik wist het niet. Pas toen ik je voelde.'

Voorzichtig raakt hij haar rechterborst aan.

'Dat ik het was?' vraagt de vrouw.

'Ja.'

'Maar je zag me niet?'

'Nee,' zegt de man.

'Helemaal niet?'

'Nee.'

Ze lacht. Triomfantelijker nu.

'Je kon me niet zien,' zegt ze. 'Ik had het lampje losgedraaid.'

Dan huivert ze opnieuw. Stil en ongemakkelijk staan ze bij elkaar. Ze kijken om zich heen. De man heeft zijn jas nog steeds over zijn arm en speelt met de sleutelbos, brengt hem over van de ene naar de andere hand en luistert naar het gerinkel.

*

Het schemert. De man en vrouw zitten aan tafel, die – zoals altijd – plechtig, formeel gedekt is, met kaarsen in glanzende kandelaars en kunstig tot flamingo's gevouwen servetten. Ze zijn halverwege het diner. De tegelvloer is nu helemaal onder het oude hout tevoorschijn gekomen, in een strak geometrisch patroon van zwart en wit, en het houtwerk in de kamer is opgeknapt, bijgewerkt, hersteld.

'En als ik niet kon bewegen?' zegt de vrouw plotseling. 'Als ik mijn lichaam niet kon controleren? Als je me moest voeren, maar alles zou gewoon mijn mond weer uitlopen? Wat zou je dan doen?'

Het is even stil.

De man kijkt naar de vrouw. Ze zit rechtop en wacht gespannen op zijn antwoord. Het witte kleed ligt strak, met messcherpe vouwen over de tafel.

Hij weifelt.

Dan steekt hij de lepel in de schaal, schept het eten op en begint haar te voeren.

Zachtjes maar dwingend duwt hij de lepel tegen haar lippen. Ze opent haar mond, laat de lepel haar lippen van elkaar halen, kauwt niet, slikt nauwelijks, en alles wat hij aan voedsel naar binnen schuift, valt als een brij weer uit haar mond. Op het kleed, de lepel, zijn handen. Onbewogen kijkt ze langs hem heen.

'Ik zou wachten...' zegt hij.

De man neemt zijn servet van de tafel, slaat het uit.

'Dan zou ik een servet pakken en alles wegvegen. Ik zou zeggen dat je een viezerik was.'

Vriendelijk dept hij haar kin droog, veegt weg wat op de tafel en haar kleding is gevallen. Het komt hem voor dat hij zijn leven lang eigenlijk niet anders heeft gedaan dan dit en hij voelt zich rustig en kalm. We zullen alles doen, denkt hij met een vreemde lichte opgewektheid, terwijl hij met het servet over haar mond wrijft. Alles wat we aan elkaar vragen.

De vrouw beweegt niet terwijl de man haar mond schoonveegt, laat hem begaan. Haar lippen schuiven wat opzij, alsof ze ze tegen het glas houdt, zoals kinderen wel eens doen achter in een bus.

Zijn blik valt op de foto aan de wand. De afbeelding van de grote grijze mastiff, met de rechte man ernaast. De hond is stevig aangelijnd, met een vuurrode riem en staat rechtop in beeld. Mooi uitgelicht, slank en goed verzorgd. De hand van de eigenaar kalmerend op zijn rug.

'Dat zou ik doen,' zegt hij.

Een van de kaarsen flakkert en walmt en het lontje knettert in de vlam. Ze kijkt naar hem. Haar lippen trillen en zijn bleek, met kleine kloofjes, de lippenstift is weggeveegd. Dan staat ze op en begint haastig de tafel af te ruimen. Zwijgend stapelt ze de kopjes en de borden. Verzamelt het bestek.

'Vond hij erg, dat de dingen vies werden,' hoort hij haar zeggen, terwijl ze het servet op het aanrecht werpt.

Het is koud. Heiig. Zijn collega Melvin – een Engelsman – en hij zijn zwijgend aan het werk. Ze werken al enige tijd samen aan de verbouwing van een oude staalfabriek tot een appartementencomplex. Omgeven door flarden mist lijkt het alsof ze alleen aan het werk zijn, al zijn in de verte de geluiden van de andere werknemers te horen. Een vrouw passeert hen, langzaam, een tas met boodschappen in de hand.

De man kijkt even op. Werkt dan zwijgend verder.

'Lekkere kont,' zegt de Engelsman. 'Hij hangt een beetje, maar niet te veel.' Zijn handen maken een gebaar alsof hij hun gewicht weegt. De man knikt, afwezig.

'Je kijkt niet,' zegt de Engelsman. 'Je kijkt niet eens naar een lekkere reet als die voorbijkomt.' Het klinkt als een veroordeling. In de verte rolt een kraan langzaam over het terrein en loopt een klein zwart figuurtje wuivend voor de machine uit. De Engelsman komt dichter bij hem staan.

'Weet je waar ik van hou?' Zijn toon is fluisterend, indringend.

'Tsjechische mokkels.'

Triomfantelijk.

'Bij de grensovergang, net over de grens – daar staan ze, in rijen en rijen.' De Engelsman maakt het bijbehorende weidse gebaar en lacht het ingehouden lachje van iemand die bij toeval op een schat is gestoten.

'Scherp als een scheermes. Malen nergens om. Schrikken nergens van. Regen, sneeuw, wind. Maakt niet uit. Die doen alles. Wat je maar kan bedenken. Noem maar op.'

Hij gaat door, in een hoog tempo, alsof hij een bandje op hogere snelheid afdraait. 'Bloedmooie meiden, Slavisch, die doen niet moeilijk, die zijn alles gewend, ze moeten wel, d'r valt niets te kiezen.' In de verte beweegt iemand zich nu langzaam, als een danser, voor de kraanwagen uit. Het gezicht van de Engelsman verandert, er komt een trek van walging op te liggen.

'Niet als die gore junkiehoeren hier, die stinken alsof ze hun eigen ongewassen kutten in het midden van hun gezicht dragen. Daar zijn ze als vers wit brood... roze als marsepein. Doen ze alles voor je. Sommigen nog geen dertien, maar die zijn het best.'

De Engelsman kijkt langs hem. Zijn ogen lijken hem ver te voeren, naar een wereld die wit is en helder en mateloos. Van verderop klinken harde, metalige bouwgeluiden. De man luistert naar het metalige, resonerende, steeds terugkerende geluid van staal op staal en ijzer. Hij knikt. Ongemakkelijk. Voelt dat hij een erectie heeft gekregen. Het gezicht van Melvin is nu zo dichtbij dat hij het licht in zijn irissen kan zien flakkeren.

'Je voelt je als een keizer – die kleine smalle handjes...'

Hij lijkt in een roes. Plotseling krijgt zijn gezicht iets bitters.

'Breken zich voor je in tweeën. Zolang je maar betaalt.'

*

Het is nog donker buiten. In de slaapkamer hangt een dikke warmte. Zeer langzaam en tegen zijn zin wordt de man wakker. Zet de wekkerradio zacht. De vrouw draait zich tegen hem aan, drukt haar been zwaar over het zijne. Zo liggen ze nog even, tussen de rommelige, niet al te schone lakens.

Dan wordt de man onrustig en wrikt hij zich los.

De vrouw kruipt halfslaperig naar hem toe.

'Nog heel even,' mompelt ze. De man kijkt naar haar. Schuift weer terug in bed, dicht tegen haar aan.

'Warm ben je,' zegt hij.

Ze nestelt zich steviger tegen hem aan.

'Jij ook,' zegt ze. 'Jij bent ook warm.' En daarna, in zichzelf: '37 graden.'

Ze liggen bij elkaar.

'Halfzeven,' zegt de vrouw, na een blik op de wekker. 'Halfzeven.'

Onrustig schiet de man overeind, maakt zich los uit de verstrengeling. Gaat rechtop zitten. Hij kijkt naar de vrouw. Naar de klok met de groene lichtgevende wijzers. De stoel met zijn werkkleding.

Zegt: 'Ik ga koffie maken.'

De vrouw slaat haar armen strak om hem heen en drukt haar gezicht als een klein kind tegen zijn rug aan. Hij voelt haar koude neuspunt.

Snuift.

'Ik ruik ons bed,' zegt hij. Zijn uitdrukking laat zien dat hij de geur die hij ruikt prettig vindt.

'Dat zijn wij,' zegt de vrouw. Ze trekt een beetje.

'Blijf.'

'Nog heel even dan.'

'Tien over halfzeven.'

Hij schiet omhoog.

'Ik moet Melvin ophalen,' zegt hij – erg gespannen nu. 'Die rijdt met mij mee vandaag. Ik moet hem ophalen.'

'Melvin?' vraagt de vrouw. 'Wie is Melvin?'

'Ach... niemand,' zegt hij met tegenzin.

'Niemand... Melvin is niemand,' concludeert de vrouw tevreden. Ze kust zijn rug. Drukt hem terug, maar hij laat zich niet meer kalmeren.

'Het is tijd,' zegt hij.

'Ik wil niet naar buiten. Weet je dat. Laten we hier blijven, hier in bed.'

Hij kijkt naar haar. Naar het bed.

'In het nest,' zegt hij.

'Ja. Het nest,' zegt de vrouw.

De man schuift naar de rand van het bed. Opnieuw klemt ze haar arm om hem heen. Half plagerig, maar een deel is serieus. Ze houdt de arm strak om zijn lichaam geklemd.

Hij voelt de druk op zijn blaas. 'Ik moet plassen.'

Ze vouwt haar handen om zijn lid, als een kopje.

'Doe hier maar,' zegt ze.

Hij zit stil op de rand van het bed en kijkt naar haar handen.

'Morgen ga ik met je mee,' zegt de vrouw. 'Mee naar Melvin, mee naar je werk. De hele dag. Zelfs als je pist ben ik bij je. En dan kijk ik naar je terwijl je plast. Zo'n mooie, gele, stevige straal. En dan kus ik je handen schoon.'

Hij leunt half achterover. Glimlacht. Ziet het voor zich.

'Klim maar op mijn rug,' zegt hij.

Haar gezicht krijgt een verbeten uitdrukking.

'Ik doe het,' zegt ze.

'Ja,' zegt de man. Ernstiger nu.

'En ik blijf hangen. De hele dag. Ook al word je doodmoe. Ik ga niet weg.'

'Ook al word ik doodmoe,' zegt hij.

'De hele dag,' zegt de vrouw.

'En als ik een steiger op moet?'

'Blijf ik hangen.'

'Moet ik heel voorzichtig zijn.'

'Ja.'

Hij voelt haar koude, blinde vingertoppen tegen de onderkant van zijn rug.

'Dus je gaat mee?'

'Ja.'

Kwart voor zeven.

'Ik moet...' zegt de man. 'Ik moet.' Een voor een peutert hij haar vingers los, ze heeft ze strak en krampachtig in zijn zij gedrukt. Hij ziet de afdruk van haar vingertoppen op zijn huid.

'Ja. Ik weet het,' zegt ze. 'Het is tijd. Het is weer tijd. Sta maar op dan. Sta dan maar weer op.'

Verdrietig gaat ze achterover liggen.

De man zit stil. Kijkt naar haar.

Dan staat hij op.

Kleedt zich haastig aan.

*

Ze zijn buiten aan het werk, Melvin en hij. Verderop zijn de geluiden van andere werknemers te horen. Ergens in de verte gevloek. En ook schelle geluiden. Opnieuw het metalige getik van hamers tegen buizen. Tussendoor ook de radio met het nieuws, maar later zakt dat weg, alsof ze met z'n tweeën in een vacuüm zitten, een luchtbel onder water.

'Weet je wat ik een keer heb gevonden, in de haven, bij het dok?' zegt de Engelsman. Scherp kijkt hij hem aan.

De man kijkt even op, maar stopt niet met zijn werkzaamheden.

'Net zo'n dag als vandaag. IJskoud, viel eigenlijk niet te werken. Weet je wat ik toen gevonden heb?'

De man zwijgt.

'Een voet. Een vrouwenvoet!'

Nu kijkt hij. Al is hij er niet helemaal zeker van of hij het goed gehoord heeft.

'Een voet. Van een vrouw. Een vrouwenvoet. Met rode nagels en al... Op de bodem van een leren dokterstas... een goeie leren tas, prima tas, op de bodem. Stijfbevroren.

Zag het meteen toen ik hem opende... zag het meteen. In de haven, bij het dok. Kan je van alles vinden, van alles, niet te geloven wat je daar... Maar een voet... een voet van een vrouw... dat is... dat is *echt* iets.

Schrok me een ongeluk toen ik hem opende.

Zag het meteen.

Zag meteen, dat het echt was...

Dat is iets wat je weet. Iets wat je kan *zien*.'

Geluiden van metaal op metaal.

Melvin beweegt en spreekt nu druk en opgewonden, zijn wangen zijn rood en zijn ogen schitteren. Het is duidelijk iets waar hij met vreugde aan terugdenkt.

'Dat gebeurt niet elke dag. Gebeurt *mij* niet elke dag! Dat is zeldzaam... een vrouwenvoet.'

Hij kijkt intens naar de man.

'Wil je niet weten wat ik ermee gedaan heb?' vraagt hij.

De man zwijgt.

'Heb hem mee naar huis genomen!'

Voor het eerst sinds ze samenwerken lijkt Melvin een moment onzeker, ongemakkelijk onder de blik van de man.

'Jezus,' zegt hij. 'Wat zou *jij* doen met een voet! Het was maar voor een dag. Heb hem daarna netjes ingeleverd, netjes afgeleverd op het bureau. Nooit meer iets van gehoord, van de politie niet, op het nieuws niet. Niets! Hebben me daar wel een hele dag doorgezaagd. Die dachten eerst dat ik...'

De Engelsman buigt zich samenzweerderig voorover en glimlacht.

'Zet je toch aan het denken, jezus, iemand heeft dat *gedaan.* Net zoals die Japanner een paar jaar geleden, die zijn verloofde aan stukken had gehakt en met haar rondsjouwde in een koffer.'

De Engelsman lacht. Hij heeft mooie tanden, met een glanzend laagje glazuur.

'Die liep gewoon met die koffer op en neer. Als een zakenman. Keurig in het pak. Op het vliegveld, op treinstations. Vroeg zelfs aan anderen of ze hem even voor hem vast wilden houden, jezus, misschien hebben jij en ik er wel mee lopen rondsjouwen.'

'Ik niet,' zegt de man – opzettelijk stug en zeker van zijn zaak.

De Engelsman lacht. Brengt zijn hoofd dichterbij. 'Ja, maar dat kun je niet *weten*. Dat weet je niet.' De man ruikt de warme adem uit de mond van Melvin.

Op de achtergrond klinken harde, blikkerige geluiden van metaal op metaal, een machine die graaft, de wilde stemmen van collega's.

Hij heeft een herinnering aan een van de eerste weken.

(Ze waren thuis. Het was avond. Alle lichten waren gedoofd en hij rende achter haar aan. Met platte handen sloeg hij dreigend op de treden van de trap, alsof het zijn voetstappen waren, en hij op het punt stond haar in te halen. De vrouw schreeuwde en lachte van zenuwen en spanning. Riep dat ze in haar broek zou plassen, en struikelde bijna terwijl ze rende.

Toen keek ze achterom en zag ze hem staan, beneden onder aan de trap. De man had zijn gezicht naar haar opgeheven en lachte breed, zijn hele gezicht was licht en vrolijk.

Hij sloeg opnieuw op de treden.

Toen wist ze dat hij al die tijd gewoon beneden had gestaan. Dat het zijn handen waren geweest die het dreigende geluid maakten, dat hij op het punt stond haar in te halen.

Toen lachte ze niet meer, ze stond stil.)

'Kon mijn eigen ogen er niet vanaf houden,' zegt de Engelsman.

*

Als de man thuiskomt is ze niet in de kamer. In gespannen afwachting loopt hij rond in de gangen. Roept haar naam. Er komt geen antwoord. Met veel kabaal rent hij de trap op naar boven. Speurt alle kamers af. Rukt luidruchtig kasten open.

Ze is er niet.

Hij wacht. Kijkt om zich heen.

Het huis is groot en leeg.

Op een tafel, naast een doos, liggen foto's. Hij neemt ze op. Bekijkt ze. Kan ze niet goed thuisbrengen. Schuift ze door elkaar. Op een ervan zit ze als klein meisje met ontbloot bovenlichaam op een houten keukenstoel. Ontroerd kijkt hij naar de kleine roze tepels en de witte kinderbuik. Op een ander staat ze tussen de broers, met kortgeknipte haren.

Binnen gaat hij op de stoel zitten. De beide armen afhangend over de knieën. Wachtend, een man die wacht. Het duurt lang voor ze er zijn: geluiden van voetstappen op het pad, van een sleutel in het slot, van iemand die boodschappen in de keuken zet, een jas uittrekt.

Dan komt ze binnen.

Haar haar is geverfd, geknipt.

Haar wangen zijn rood.

Ze lijkt blij, maar ook verrast hem te zien. Loopt op hem toe en wil hem kussen, maar hij weert af en trekt zijn gezicht weg.

'Is er wat?' vraagt de vrouw.

'Ik ben er al een uur,' zegt de man. Hij hoort de grimmigheid in zijn eigen stem. 'Waar was je? Waar *was* je?'

'Ik? Weg. Ik heb... ik ging...'

'Ik wist *niets*,' zegt hij. Het klinkt somber en dreigend. 'Je hebt *niets* gezegd. Ik heb overal gezocht... Je was er niet.'

Nu is ze vertederd. Glimlacht ze. Loopt ze vertederd op hem toe en steekt geroerd, geamuseerd haar hand uit.

'Dacht je dat ik me had verstopt? Maar dat kon toch helemaal niet? Ik wist toch niet dat je nu al klaar zou zijn? Dat kon ik toch helemaal niet weten?' Ze wil hem aanraken. Hij ziet haar glimlach en duwt haar hard van zich af.

Ze schrikt. Het is even stil. Hij kijkt naar haar glanzende schoenen, haar panty, die kleine laddertjes heeft bij de enkel, daar waar de gespjes van haar zwarte schoenen zitten.

'Waar heb je dan gekeken?' zegt de vrouw. Voorzichtig gaat ze naast hem zitten.

'Boven? Waar nog meer? In de slaapkamer? In de gangkast? Heb je me geroepen?'

De man zwijgt. Vindt de vragen onverdraaglijk. Haar ontroering vals. De spelletjes die ze spelen en die hij ernstig nam, komen hem plotseling erg kinderachtig en banaal voor. Hij schaamt zich.

'Ik heb *nergens* gekeken,' zegt hij. 'Nergens, hoor je!'

*

Toch duurde het nog een paar weken voor jaloezie en achterdocht, zonder dat daar een directe aanleiding voor was, tot een plotselinge uitbarsting kwamen.

Een golf van onverwachte, kolkende woede na een verlate oplevering, overvloedig geschonken drank op het feest daarna en een late thuiskomst. Een man die een vrouw aan haar haren naar buiten sleurt, de drempel over. Haar tegen een busje drukt. Eist en verlangt te weten wie er voor hem zijn geweest.

Daarna was er natuurlijk spijt, waren er verontschuldigingen. De sterke behoefte vergeven te worden. Maar toen was bij beiden het besef van eenzaamheid al ontstaan.

*

Hij heeft zijn hand strak om een haarstreng, trekt haar hoofd er mee naar achteren.

'Wat je met mij doet, allemaal, doe je dat ook met anderen? En wat je tegen mij zegt 's nachts, tegen wie zeg je dat nog meer?'

Hard knijpt hij in haar borsten en buik. Trekt haar rok en onderbroek omlaag en kneedt haar billen, die warm zijn, en onder zijn aanraking korrelig, zelfs een beetje belachelijk aanvoelen. Hij houdt haar met haar gezicht tegen de zijkant van de wagen gedrukt, haar wang eigenaardig plat en vervormd tegen het metaal. Draait haar arm naar achteren, en draait het vlees in wat in zijn jeugd 'het prikkeldraad' werd genoemd.

'Wie liet je dat nog meer doen, hè?' schreeuwt hij, onder de indruk van zijn eigen harde stemgeluid.

'Je verstoppen. Naar je laten zoeken in het donker. Niets nieuw, alles een spelletje.'

'Niemand,' zegt ze. 'Niemand.'

'Alleen jij.'

Dan wordt ze kalmer, kijkt ze hem strak in het gezicht.

'Weet ik niet meer!' zegt ze.

'Honderd,' zegt ze. Koele blik.

'Duizend!' Ze probeert de naar beneden geschoven

broek omhoog te trekken, maar hij blijft hangen om haar benen. Ze sjort.

'Het maakte me niet uit, hoor je! Wie maar wou, hoor je. Wie hier maar wou binnenkomen.'

Dan struikelrent ze naar binnen. Zwikt haar enkel bij de drempel. Hij kijkt haar na, hoe ze naar binnen vlucht. Tevreden. Een man roept een vrouw ter verantwoording, denkt hij.

Natuurlijk leggen ze het later bij. In het donker liggen ze bij elkaar. De man huilt. Hij raakt haar zachtjes aan. Verontschuldigt zich uitputtend.

'Het gaat me niets aan,' zegt hij.

'Het maakt me niets uit.'

De vrouw reageert niet. Als hij al bijna is weggedoezeld, draait ze zich om. Haar gezicht is rood. Er loopt een sliertje vocht uit haar neus en haar haren zitten vochtig tegen haar hoofd geplakt. 'Er is niemand,' zegt ze. 'Helemaal niemand.'

Dan duwt ze haar knie in zijn rug, precies op de gevoeligste plek, beneden, waar de laatste wervels zitten.

Een felle helgele pijnscheut, maar hij grijpt niet in.

'Dat is pas erg, hè,' zegt ze. 'Dan zijn we maar alleen, dan zijn alleen wij het maar.'

Maar later houdt ze haar beide handen om zijn achterhoofd, alsof ze hem wil kussen of troosten. Drukt haar voorhoofd tegen het zijne. Perst het er hard tegenaan.

*

De jaloezie, die fel was ontwaakt, werd teruggestopt en verborgen op een plek waar de man geen toegang toe had.

Een tijdlang voelde hij zich teder en grootmoedig.

Kort daarop was ze zwanger.

Aanvankelijk werd ze alleen maar groter en guller. Haar haar was voller en glansde. 's Avonds deed ze haar spelden uit en streek ermee over zijn borst en rug. De man lag onder haar, zijn handen om haar heupen. Voelde hoe haar haar over zijn gezicht viel en zag de wereld door strepen donker. Het warme wuiven van haar ademhaling over zijn huid.

Maar later, toen haar buik groeide, was het of ze zich terugtrok in een zelf gesponnen cocon, waar hij met geen mogelijkheid bij kon.

Nu kwamen de gedachten die spookten en opjoegen en kon hij haar geen moment meer met rust laten. Op het werk liep hij onrustig heen en weer. Hij begon van haar te dromen. Zag voor zich, in beelden die helderder, kleurrijker waren dan alles wat zich in zijn directe omgeving bevond, dat haar de vreselijkste ongelukken overkwamen.

*

Ze staat in de keuken en loopt in haar witte nachthemd langs het steelpannetje met kokend water. Groter en zwaarder nu ze zwanger is, schat ze de afstand niet goed in. De pan valt en de huid van haar benen en voeten verbrandt felroze. Er verschijnen dikke puilende blaren.

Gespannen laat hij een stuk gereedschap vallen. Kijkt ernaar. Van ver opnieuw het dwingende staccato geluid van metaal tegen metaal. Een hond die blaft. Zijn collega's die schorre aanwijzingen naar elkaar schreeuwen.

Ze ligt voorover in de auto, met haar hoofd op het stuur. Op de achterbank een omgevallen tas met spullen. Hoewel de auto zich in een ondiepe greppel bevindt, is ze doorweekt. IJskoud.

Niet meer in staat gewoon door te werken, stopt hij abrupt en klimt naar beneden. Zonder iets meer te zeggen dan 'ben even weg' rijdt hij als een bezetene naar huis, de auto tevreden opjagend door plassen donker water.

Vlak bij het huis mindert hij vaart, alsof hij bang is voor wat hij aan zal treffen. Stapt uit en loopt behoedzaam over het pad. De vrouw opent de deur. Ze houdt een lange transparante lap stof in de hand, die als de sleep van een bruidsjurk over de vloer sleept en is duidelijk verbaasd hem te zien.

'Ben je nu al klaar?' Ze ziet er vermoeid uit. Is hoogzwanger nu.

Als ze zijn schrik ziet, zijn opluchting, wordt haar stem zachter.

'Hee. Heee,' zegt ze. 'Is er wat gebeurd?'

Ze wil zich tegen hem aandrukken en hem kussen, maar de man ontwijkt haar als hij naar binnen loopt.

'Nee, ik dacht... Ik heb gereedschap laten liggen,' zegt hij en loopt voor haar de gang door. Vanuit de openstaande deur naar de woonkamer is te zien dat ze bezig was met het bekleden van een oude, statige wieg die hij niet eerder zag. Op de tafel liggen lappen witte stof. Ze staat bij hem. Wacht terwijl hij willekeurig wat bij elkaar graait en in een tas gooit.

'Heb je wat je nodig hebt?' Ze kijkt hem even aan.

'Ja, o ja,' zegt de man. Verweesd staat hij in de deuropening, de tas in zijn hand, en voelt hoe alles aan hem naar beneden afhangt.

'Mijn broer dacht eraan,' zegt de vrouw. Ze wijst op

de wieg. Het klinkt als een verontschuldiging, een vergoelijking.

'Ik dacht... als ik hem helemaal opnieuw bekleed, dan kan het misschien wel, dan is het misschien niet zo...'

Hij kijkt naar de wieg, naar de zwarte smeedijzeren poten.

'We hebben er allemaal in gelegen,' zegt ze.

Ze kijkt opnieuw naar hem, maar hij reageert niet. Geeft haar een vluchtige kus. Keert terug naar de werkplaats en werpt ze weg, zonder ze nog een keer te bekijken, de tekeningen voor het kinderbedje.

*

Ze zitten aan de lange tafel en zijn klaar met eten. Op de tafel staan schalen met voedselresten, in een van de grote schalen het karkas van een kip in een laagje gelig gestold vet. Boven de tafel werpt de lamp in een cirkel het licht over het laken. Zoals altijd als ze samen aan tafel zitten zijn ze netjes, bijna overdreven gekleed.

'Je zou niet moeten roken,' zegt de man. De laatste tijd is de behoefte ontstaan de vrouw te controleren, te vertellen wat ze wel en niet moet doen. Beleeft hij er plezier aan rond te lopen en commentaar te leveren. Opmerkingen te plaatsen die haar onzeker maken.

De man kijkt naar de vrouw en naar de rook van haar

sigaret die langzaam omhoogkringelt en uiteenwaaiert.

Ze blaast ongehaast uit. Speelt met een vork. Draait hem om en om.

'Nee,' zegt ze.

'Toen ik geboren werd,' begint de man plotseling, 'toen was ik veel te licht.' In gedachten ziet hij zichzelf liggen, omgeven door te veel wit en chroom, op een wit plastic kleedje.

'Ik was een hele lichte baby,' zegt hij.

'Licht als een veertje,' zegt de vrouw. Ze maakt een beweging alsof ze een pluisje wegblaast.

'Ja,' zegt hij. 'Erg licht.'

Ze glimlacht.

'Ik lag weken in het ziekenhuis,' vervolgt hij. 'Mijn vader en moeder moesten op bezoek komen om me te zien.' Hij beleeft een kort moment van medelijden met zijn moeder en ziet haar voor zich in de regenjas die ze pas jaren en jaren later had aangeschaft, groen, met grote diepe zakken op de heupen.

'Maar nu ben je groot,' zegt de vrouw.

'Ja,' zegt de man – even helemaal terug in het verleden.

'Ze waren bezorgd,' zegt hij.

Op een ingeweven bloem in het midden van het tafelkleed zit een grote gele vlek. Ze hebben geknoeid.

'Roken is niet goed,' zegt de vrouw, rustig en langzaam rokend. Dan drukt ze haar sigaret uit in het karkas.

Het maakt een zacht, onaangenaam sissend geluid.

'Haatte ik,' zegt de vrouw. Ze kijkt naar de uitgedrukte peuk die uit de kip omhoogsteekt. 'Ik haatte het als hij dat deed.'

'Als wie wat deed?' vraagt de man.

Ze hoort hem niet.

'Hij deed het altijd. Op zondag aten we kip en zodra we klaar waren, drukte hij er zijn sigaret in uit. Mijn vader was altijd zo netjes maar dat deed hij nou echt met plezier. Op het laatst deden ze het allemaal. Toen werd ik er kotsmisselijk van.'

De vrouw slikt. Even is het of ze kokhalst. Dan staat ze op, schuift haar stoel naar achteren en loopt de kamer rond. Zoekt iets. Bukt. Trekt uit de lade van de hoge kast een slof sigaretten en werpt die voor hem op tafel. Met het fruitmesje snijdt ze het cellofaan open en neemt de pakjes eruit, opent ze, schudt er gehaast de sigaretten uit. Gaat weer zitten. Kijkt hem aan.

'Nu rook ik niet meer,' zegt ze plechtig.

Hij kijkt naar de berg wanordelijke witte staafjes op het kleed.

'Jij moet er een uitzoeken,' zegt ze.

'Waarom?' vraagt hij.

'Omdat het mijn laatste sigaret is,' zegt ze.

'Maar het maakt niet uit,' zegt hij. 'Ze zijn allemaal hetzelfde...' Aarzelend, zoekend kijkt hij naar de stapel. De vrouw kijkt naar hem. De man lijkt haar nu ineens fragiel. De gedachte dat hij een lichte baby is geweest, ontroert haar.

'Als jij hem uitzoekt, niet,' zegt ze. Hij kijkt. Zoekt. De schaduw van zijn vingers spreidt zich in vage slierten uit over de plooien van het kleed. Dan neemt hij, alsof hij het moeilijkste stokje uit mikado verwijdert, er één sigaret uit en houdt haar die voor. Ze steekt hem aan en rookt langzaam. De man wacht, neemt de sigaret dan voorzichtig van haar over en dooft hem tussen zijn vingers.

'Voor het kind,' zegt hij.

'Voor het kind.'

Ze klinken, met lege wijnglazen en hij luistert naar het zingen van het glas.

*

Aan het huis was nu ook van buiten te zien dat het was opgeknapt. De kozijnen waren al lang niet meer verveloos. Het ochtendlicht gaf de tuin een sprookjesachtig aanzien. Het was het weer waarin contouren vervagen. Op de struiken zat vocht. Dauwdruppels of rijp.

*

Het is half drie als de man schrikachtig ontwaakt na een dichte, opeengepakte slaap. De plek naast hem is leeg. Voorzichtig staat hij op en loopt de slaapkamer uit, de gang in. Daar zit ze op de wc, in zijn witte kabeltrui, en rookt gretig. Met blote voeten staat hij op de tegels en luistert naar haar ademhaling. Keert terug naar de slaapkamer. Hoort even later het gedruis van neerstortend water, daarna het zacht schurende geluid van een trui die over een hoofd heen wordt uitgetrokken en het zachte knetteren van haar. Geruisloos schuift ze aan haar kant en trekt het laken over zich heen. De man draait zich om. Voelt hoe verse kou van haar afgekoelde lichaam onder het laken door zijn kant opstroomt.

*

Eén keer kwam ze hem onverwacht bezoeken op de werkplaats. Het was halverwege een tamelijk zwaar project waarin veel op de spits was gedreven en ze onderling steeds nerveuzer en prikkelbaarder werden.

*

'D'r zit daar een klein balletje op je te wachten,' zegt een van zijn collega's. Hij wijst naar de keet en lacht. De andere collega's lachen ook. Ze vinden het grappig. Erg grappig dat ze hem hier op komt zoeken.

De vrouw zit onwennig in de kleine ruimte. Zodra hij binnenkomt, springt ze op en vliegt hem om de nek, maar hij houdt haar af en bekijkt bezorgd naar haar lichaam om te zien of alles in orde is – misschien is ze gekomen omdat er iets is wat hij moet weten, iets dat geen uitstel kan verdragen – maar hij ziet niets, en nu wordt hij afstandelijk. Uit zijn houding en gedrag, uit alles wat hij zegt, spreekt koelheid.

'Wat kom je hier doen?' vraagt hij ten slotte.

Ze doet alsof ze zijn toon niet opmerkt.

'Dus hier zitten jullie als het regent?' vraagt ze. 'En als jullie eten?'

Hij knikt. Vraagt zich af wat ze wil.

'Ja,' zegt hij.

'Laat eens zien, waar zit jij?' vraagt de vrouw. Ze kijkt hem aan en zoekt zijn gezicht af. Begint rond te lopen in de kleine ruimte alsof het het begin is van een ontdekkingsreis.

Haar aanwezigheid ergert de man. Het benauwt hem dat ze hier is terwijl er niets met haar aan de hand is, en dat al zijn collega's haar hebben gezien.

'Wat zeggen jullie allemaal tegen elkaar?'

'Niets. Niets bijzonders,' zegt hij stekelig.

'Maar dat moet. Dat *moet*,' zegt de vrouw, plotseling onrustig. 'Ik heb het geteld. Je bent hier acht uur per dag. Soms langer. Jullie moeten toch *ergens* over praten. Jullie moeten toch *iets* zeggen?'

(Dus zo lang is hij hier? Zo lang is het elke dag?)

Met koele tevredenheid denkt hij aan hoe zij de uren telt van de tijd dat hij afwezig is.

'We werken,' zegt hij. 'We luisteren naar muziek. We doen niets bijzonders.'

'Dat *kan* niet. Dat kan niet!' Er klinkt paniek door in de stem van de vrouw. 'Je kan niet ergens acht uur zijn, acht uur per dag, met vreemden. Dat kan niet. *Niemand* kan dat.'

Moedeloos kijkt ze de keet rond.

'Alsjeblieft,' zegt de man. 'Wat kom je nou doen?'

'Jullie moeten het toch ergens over hebben?' zegt de vrouw. Ze kijkt naar de man. Steekt in een reflex haar hand uit naar de blauwe trui die over een stoel hangt, maar hij duwt hem weg, zachtjes, alsof hij een kind terechtwijst.

'Die is niet van mij,' zegt hij.

Ze reageert er niet op. Lijkt hem even niet te horen.

De man kijkt naar haar witte gezicht. De gele jas. De dikke buik. Vindt dat ze iets enorm onhandigs heeft. Van buiten sijpelen geluiden naar binnen. Hij ruikt het aroma van de koffie die pruttelend doorloopt in de kan, ziet de roze biggenmok zonder oor van Melvin, een zakdoek die in een prop op de grond ligt. Onbeholpen staat ze voor hem. Even is er vluchtige spijt omdat ze heeft gedacht dat het de moeite waard is, omdat ze denkt dat het iets te betekenen heeft, de uren dat hij hier is.

'Het huis was zo groot vandaag,' zegt ze, bijna in zichzelf. 'Als jij er bent is het niet zo groot.'

Maar hij geeft niet toe.

Als ze over het modderige terrein naar de uitgang loopt, kijkt hij haar na vanuit de keet, Ze waggelt een beetje. Hij weet dat de gezichten van zijn collega's haar richting uit zullen draaien. Dat hun ogen in haar rug prikken, terwijl ze over planken stapt en de diepe plassen ontwijkt. Dat ze zich bewust moet zijn van het luidere, rumoeriger gedrag.

Hij hoopt dat een van hen haar iets grofs zou naroepen, dat haar zou raken als een opspattend steentje.

Maar later, thuis, kolkt de begeerte, en verlangt hij naar haar met een kracht die hem de adem beneemt.

Nacht, en donker als de vrouw hem wekt.

Hij weet dat ze wil dat hij opgewonden is. Voelt haar handen, haar lauwe vochtige mond. Het zachte schuren van haar schaamhaar over zijn buik. Ruikt haar geur die zich bergt in al haar poriën. Ze vrijen snel en woordloos. Na haar orgasme, dat komt met een felle kramp, buigt ze zich over hem heen, blijft zwaar op hem zitten tot zijn heupbotten en rug pijn doen, maar hij wil haar niet vragen weg te gaan. Haar borsten zijn groot, donker en de tepels opgezet. Er druppelt witgele melk op zijn huid.

'Misschien moet ik je opsluiten,' fluistert de vrouw. Haar ogen glinsteren bij het idee. 'Hoe zou je dat vinden? Je kreeg je eigen kamer: een tafel, een stoel, een bed.'

De man wordt wakker. Hij kijkt om zich heen en ziet de vrouw. Ze zit in een trui van hem op een grote rieten stoel in de hoek van de kamer en kijkt naar hem. Hij heeft geen flauw idee hoe lang ze daar al gezeten heeft.

En een keer kruipt ze 's nachts naar hem toe – zweterig van een nachtmerrie die draderig over haar heen ligt. Hij veegt de natte strengen uit haar gezicht, stelt haar gerust. Laat zich zwaar omklemmen en slaapt niet meer.

*

Het kind werd geboren. Het hemelbed was af. Nu zaten ze bij elkaar en drukte de man het baby'tje onwennig maar teder tegen zich aan en snoof hij de zoete geur op van babyolie.

In de hoek van de kamer stond de door de vrouw beklede wieg op zijn hoge lepelaarspoten. Het voeteneind van hun bed lag bezaaid met babyspullen.

Over de voorafgaande periode spraken de man en de vrouw opgelucht, als over iets dierbaars, maar ook pathetisch. Iets aandoenlijks dat ze gepasseerd hadden, of dat hen was gepasseerd – als een koets met paarden.

De man wist dat het moeilijk was geweest met de broers. Ze had ze zonder hem opgezocht en er was uitleg nodig geweest.

Ze wilde er niet over praten.

*

Ochtend. Roze lucht vol nevelflarden.

De man zit op de rand van het bed en aarzelt, heeft moeite om weg te gaan. Het kindje ligt bij de vrouw onder een zachte, lichtgele deken. Maar ze houdt hem nu niet meer tegen bij vertrek, zoals eerst.

*

Het is een frisse, koude dag als hij haar plotseling ziet lopen, op het zebrapad, met de baby in het wagentje. Ze steekt over en gaat een pastawinkel binnen. Staat een tijdje bij de toonbank, geflankeerd door een oudere man en een meisje in een blauw winterjasje en detoneert niet, harmonieert volmaakt. Wacht rustig tot de Italiaanse eigenaar haar een bruine papieren zak overhandigt, komt dan – het wagentje voor zich uitduwend – de winkel uit. De man kijkt ademloos toe, met een pijnlijke steek in zijn borst. Hoe kan ze hier buiten rondlopen, en er zo zeker van zijn dat de dingen in orde zijn? Dat hij aan het eind van de dag terug zal keren? Zit daar niet iets beledigends in? Ineens vindt hij het onverdraaglijk. Wil hij naar voren rennen om haar opzij te duwen, te slaan vanwege haar ongerede, redeloos vertrouwen. Achter hem slibt de rij aan. Iemand claxonneert. Opgejaagd geeft hij gas.

Hij zegt er niets van, later die dag, dat hij haar gezien heeft.

*

Terwijl hij geconcentreerd bezig is met het schaven van een stuk hout, is achter hem een collega – na een opmerking over zijn sloomheid – ('zo traag als dikke stront door een injectienaald') de aannemer aangevlogen. Met een beitel steekt hij hem in de wang. Ze staan er in een kring omheen. Kijken toe hoe het bloed uit de diepe wond begint te stromen, over zijn wang en kin zijn hals in. Doen niets. Blijven stom. Er is ontzetting en verbijstering, natuurlijk, maar ook iets anders: ongemak. Ongemak dat de aannemer is beschadigd. Zich heeft laten beschadigen en hoe eenvoudig! Ja, stil staan ze er omheen. Het is uiteindelijk de Engelsman die enige daadkracht vertoont en met hem meerijdt naar het ziekenhuis – met de aannemer die plotseling klein lijkt, de aannemer die beeft en steunt.

Het is al donker als hij thuiskomt. Hij loopt meteen door naar boven.

De vrouw slaapt een diepe slaap – het kindje naast zich, bedekt met een kleine lichtgele deken. Verloren staat hij in de ruimte. Kijkt naar ze. Naar de donkere houtpanelen en de hoge latten, het bed dat zwaar en stil is. Ze liggen schuin over het dubbele matras. Het flesje van het kind staat op het nachtkastje. Het is niet helemaal leeggedronken, er zit nog een laagje melk in.

Als ze hem vindt, de volgende morgen, opgerold als een mossel onder de geruite deken op de bank, zegt de vrouw dat ze te lang alleen zijn. Dat ze de broers heeft uitgenodigd. Dat het tijd is voor gezelschap.

Begin van de avond als ze komen.

Geluiden van auto's die een voor een komen voorrijden, van steeds weer nieuwe autodeuren die open en dichtslaan. Hij doet ze open, begroet ze, laat ze binnen als gasten, als oude bewoners.

Ze zijn goedgekleed en verzorgd, op het onberispelijke af. Begroeten elkaar. Tussen hen de vertrouwdheid van mensen die elkaar door en door kennen. ('Weer een nieuwe graancirkel, zie ik.') Glijden met hun blikken over de gevel van het huis. Keurend. Controlerend. Een van hen kijkt naar het naambordje bij de deur. Een ander klopt zijn jasje af.

Ze passeren hem met de kalme rust van eigenaars die een tijdje weg zijn geweest, druk bezig met het leven op andere plaatsen, en die nu terugkeren om te zien, om er zeker van te zijn dat de wereld in hun afwezigheid niet al te sterk veranderd is, of overhoop gegooid. Trekken zelf rustig hun jassen uit.

'Is zusje er niet?' wordt er gevraagd.

'Jawel,' zegt hij, licht in verwarring. 'Ze is even naar

de slijterij.' Voor hem uit lopen ze de gang door. Niet gehaast, maar volkomen op hun gemak, bloemen en wijn in de hand.

Oudste broer klopt met de achterkant van zijn hand tegen de hoge kast. 'Weten jullie nog, die keer dat we ons hier hebben verstopt. Met servies en al naar beneden lazerden?' Ze lachen. Weten het nog goed.

'Waar is de asbak?' vraagt Tweede broer. In zijn hand een brandende sigaret. 'Die enorme grote, gelijmde, van kristal.'

'Ik weet nog dat hij die naar ons toe slingerde,' zegt Derde broer. 'Ik dacht dat hij ons zou vermoorden.'

Tweede broer knikt. Herinnert het zich. 'Hij was kwaad.'

'Ja, waarom toch ook weer?'

'Dat je dat niet meer weet,' zegt Tweede broer. 'Omdat we hem hadden uitgelachen, jij en ik. Hij slipte over het kleed en viel en toen lachten we.'

Onverwacht, alsof het om een aanval gaat, steekt Oudste broer hem een fles wijn toe.

'Voor in de wijnkelder.' De ogen van Oudste broer bewegen niet, maar staren hem aan. Fixeren hem alsof hij een mug is tegen een helverlichte muur. 'Want daar ben je natuurlijk al geweest, in de wijnkelder? Daar heb je natuurlijk al trots rondgelopen?'

Derde broer buigt diep voorover en peutert met zijn vingers zuchtend in de tegelgroeven, alsof hij wil uitzoeken wat zich daaronder bevindt. Tweede broer heeft een schoteltje gevonden om de as in te doen en drukt er zijn sigaret op uit.

'Het is *ons* zusje,' zegt Oudste broer. Hij wacht. 'Je hebt het toch, hoop ik, wel goed tot je door laten dringen,' zegt hij plotseling zacht en vriendelijk. 'Dat het huis niet van haar is?'

Hij glimlacht. Zorgvuldig bestudeert hij het etiket op de wijnfles en voelt hoe zijn glimlach als een barst in het ijs trekt.

De broers staan op.

Ze keren zich naar de vrouw en omhelzen haar alsof ze lang is weggeweest.

In het midden van de kamer pronkt het houten hemelbed, schuin ertegenover, in de hoek, bevindt zich het bedje van de baby. Drie van hen hebben zich eromheen gegroepeerd, twee staan bewonderend bij het hemelbed, wrijven met hun vingers over het houtsnijwerk. Derde broer tikt tegen het hout van het voeteneind. Klopt erop.

'Wat is hij klein,' zegt Tweede broer.

'Erg klein,' zegt Vijfde broer. 'Groeit-ie wel goed?'

'Natuurlijk groeit-ie. Waarom zou hij niet groeien?' zegt Oudste broer.

'Zusje bleef ook lang klein,' zegt Tweede broer.

'Hij droomt. Kijk. Je kan zijn pupillen onder de oogleden zien bewegen.' Zijn stem is hard.

'Shhhs,' zegt de vrouw. Ze staat mooi aangekleed in een rode jurk, het haar naar achteren gekamd en strak opgestoken, bij de broers.

'Kom. Beetje geluid moet hij wel tegen kunnen,' zegt Tweede broer.

Hierna begint het vergelijken.

'Het voorhoofd van pa,' zegt Oudste broer.

Tweede broer valt in: 'Weet je nog dat hij altijd zei: – hij doet de stem na – "David doodde de reus Goliath met één worp uit zijn slinger."'

Derde broer: 'Van wie zou hij dat mondje hebben?'

Ze kijken naar de vrouw. Naar elkaar.

De man staat dicht bij de deur.

Tweede broer tegen Derde broer: 'Jij hebt ook zulke lippen.'

Ze kijken. Knikken.

'Sommige trekken komen altijd terug.'

De man kijkt naar hun voeten, hun glanzende donkere schoenen op de tegels en het kleed.

Oudste broer: 'Ze rouleren.'

Tweede broer: 'Het kan even duren, maar dan herken je ze toch. Het is eigen.'

Het kind wordt even wakker.

'Wat is hij licht,' zegt Tweede broer, nadat hij het uit bed heeft getild en zachtjes in zijn armen wiegt.

'Pa was ook licht, tegen het eind. Weet je nog? Zelfs jij kon hem dragen, zusje.'

*

Ze waren zowel teder als ruw, de broers. Bijna alles wat ze in het huis deden, paste in een bepaald ritme, en had te maken met oude gewoontes, die je niet zomaar kwijtraakt.

'Die lippenstift is te fel. Hij maakt je oud... ouder dan je bent,' had een van hen gezegd, en ze had onmiddellijk in de spiegel gekeken en op het punt gestaan de lippenstift af te vegen.

*

Ze spelen. De vrouw en de broers.

Zitten aan de lange tafel – het licht brandt fel – en houden de kaarten in hun handen.

Hij doet niet mee. Hij wacht. Schenkt koffie in. Voelt hoe hij vergeten wordt. Ze spelen steeds gedrevener. Halen oude herinneringen op.

Hij kijkt even naar het slapende kind dat rustig in het bedje ligt, dekt het toe en gaat op het bed zitten. Wil zich uitstrekken als hij hun stemmen hoort door de babyfoon.

Stem één: 'Ik heb een rekening voor hem geopend. Hij zal een goede opleiding nodig hebben.'

Stem twee: 'We vallen niet allemaal met onze neus in de boter.'

Stem één: 'Waar hebben jullie het in godsnaam samen over?'

Stem drie: 'Zolang hij zijn gulp maar kan openknopen. Nog steeds het Cleopatraatje in de ezelinnenmelk.'

Stem twee: 'Je had iets beters kunnen krijgen. Het hoefde nou niet met de eerste de beste.'

Stem één: 'Wat is dat toch met die totale vreemden?'

Vrouw: 'Jullie zouden er het liefst zelf een uitzoeken. En me dan vertellen. Waar. Wanneer. Hoe vaak.'

Stilte.

Stem vier: 'Het blijft een geweldige kamer. Ik hield ervan om hier te zijn. Jij ook. We hadden hier alles. Hadden helemaal niemand nodig.'

Met een grimmig plezier loopt hij het gesprek door – speelt het van voren naar achteren en van achteren naar voren af. De tuin is donker. Alleen de kleine tuinlamp brandt. Hij zit op de schommel die hij een tijd geleden gerepareerd heeft. Door het raam heen ziet hij de vrouw en haar broers aan tafel. Het magische vijftal. Zestal. Ze straalt in hun midden. Haar wangen gloeien. Iemand stoot een glas wijn om. Iemand is bezig met een doek.

Hij denkt aan de weken, de maanden dat hij aan het huis heeft gewerkt.

Heer. Boer. Meester. Knecht.

Als ze eindelijk naar buiten komt gelopen, zijn voor het huis de geluiden van hun startende en wegrijdende auto's te horen. Het is half twee. Het schijnsel van de autolampen valt door de ramen heen naar binnen. Ze is doodmoe. Heeft te veel drank op. Komt wankelend op hem toegelopen.

'Ik heb het huis voor ons gewonnen,' zegt ze met dikke tong. 'Ik heb gespeeld en het gewonnen. Voor jou en mij. Maar ze houden toch geen woord. Ze denken dat ik het nodig heb. Ze weten niet eens dat ik het voor hen doe.'

Ze kokhalst. Grijpt hem bij zijn schouder. Drukt haar vingers tegen zijn lip.

Dan braakt ze over zijn schoenen.

Nacht.

De man is klaarwakker.

Het lichaam van de vrouw is zichtbaar onder de witte lakens en dekens. Ze heeft zich omgedraaid waardoor een borst zichtbaar is geworden. Van buiten dringen af en toe gedempte geluiden van de autoweg naar binnen. Het sissen van autobanden op het besneeuwde wegdek.

Dan begint de baby te pruttelen en zachtjes te huilen.

Voorzichtig staat hij op uit bed, schiet zijn slippers aan en buigt zich over het ledikantje. Kijkt een moment naar de trillende lippen en de donsbehaarde ronde wangen. Voelt een drukkende tederheid.

De man neemt het flesje uit de pan met warm water en sprenkelt wat druppels op zijn arm.

Behoedzaam tilt hij het kind uit bed. Draagt het naar het raam met de verdiepte vensterbanken. Schuift de gordijnen verder open. Zittend op de vensterbank geeft hij de baby de fles. De vrouw is verkouden, ze snurkt een beetje. De baby sabbelt ritmisch en tevreden.

Het flesje is half leeg. Hij voelt opnieuw aan de luier.

Nat.

Voor de zoveelste keer verbaast de man zich over de zwaarte van het knikkende hoofdje en de compactheid van het kleine lijf. Vermoeid en loom staat hij op. Buiten dwarrelt sneeuw in trage vlokken naar beneden. Loodgrijze, doffe lucht, als beslagen staal.

Het eigenaardige: hij heeft niets verschoven als hij – het kind tegen zich aan – een tissue uit het doosje trekt.

Een moment meent hij het volle gewicht nog te voelen.

Dan is er dat geluid.

Een bons.

Dof.

Als van een volle waszak.

Even kijkt hij verbijsterd naar zijn lege handen, alsof daar het andere, echte kind nog tussen zit. Boven zijn hoofd tinkelen heel zacht de kettinkjes aan de monsterlijk groene Venetiaanse kroonluchter, alsof ze worden aangetikt. Dit is het enige geluid.

Op de vensterbank staat het flesje. Er zit nog een bodempje melk in. Het doet hem denken aan die roze toverflesjes die leeglopen als je ze kantelt, maar die zich zodra je ze rechtop zet weer vullen.

Het is warm geworden in de kamer.

Hij hoort het fluiten van de lucht die door haar neus naar binnen en naar buiten stroomt.

Dan kijkt hij naar beneden, naar het kind dat roerloos, in een wijd hemdje en nat geplast broekje op de grond ligt.

De man bukt zich en neemt het kind dat versuft lijkt, maar niet huilt, in zijn armen, drukt het stevig tegen zich aan. Er lijkt veel, heel veel tijd verstreken tussen het moment waarop hij het heeft willen verschonen en het moment waarop het een ander kind werd, dat hem ontglipt is, en is gevallen.

Ergens boven, onder de Venetiaanse lamp, moeten ze omgewisseld zijn.

De vrouw beweegt. Haar borst, met de tepel als een muizensnuitje, raakt verder ontbloot. De man staat ontroerd stil, met droge keel. Legt het kind, dat zacht, heel langzaam ademt, voorzichtig voor haar in het bed. Trekt lakens en deken omhoog en stopt ze beiden zorgvuldig in.

Ze wordt niet wakker, knort even, maar beweegt mee met vanzelfsprekende loomheid, als een kat die plaatsmaakt voor haar jong. Dan loopt hij naar de andere kant van het bed, trekt zijn kamerjas uit en schuift achter ze het bed in. Legt zijn hand op de heup van de vrouw, precies daar waar ze wat zwaarder is geworden. Haar huid gloeit onder zijn hand.

Nu kan hij het kind niet goed zien, wel ziet hij het raam waardoor de tuin zichtbaar is. De donkere, gesloten lucht met de sneeuw die nog steeds in geluidloze vlokken naar beneden daalt. Af en toe het gelige licht van een auto op de weg verderop.

Een seconde lang een heldere herinnering aan de kamer van zijn jeugd, met het metalen bed en de eendeurskast, het bureau van teakhout. Het behang met de grijsblauwe vliegtuigen. Hij dacht aan de dag dat zijn vader die wanden had behangen: de uitgeklapte plaktafel, de pakjes lijm, de kwast. Zijn vaders geconcentreerde passen en meten, het geschuif met de motieven, de rolmaat. De gewichtige manier waarop hij had rondgelopen. Nog jaren zou hij aan een wand de verschoven, centimeters opgeschoven helften van de blauwe vliegtuigen zien – die hierdoor geen enkele kans meer hadden op te stijgen. Ze hadden er met geen woord over gerept, zijn vader niet, zijn moeder niet en hij niet, toen hij klaar was en ze na afloop gedrieën in de kamer stonden en hardop het resultaat bewonderden.

Ochtend. Toch is het nog donker. Sneeuw heeft zich verzameld op de richels van de vensterbank. De vrouw slaapt nog steeds, uit haar mond loopt een spuugdraadje en op haar kussen zit een vochtige plek. Hij durft niet verder te kijken, niet naar die stillere gestalte, die andere, kleinere bolling onder de deken en het laken. Langzaam en zwaar komt hij het bed uit. Tinnen man kleedt zich aan. Eerst broek, dan overhemd, sokken, trui en tot slot zijn laarzen, mechanisch en zorgvuldig, alsof hij zich voorbereidt voor een dag op zijn werk.

Behoedzaam sluipt hij het huis uit.

Het is steenkoud. Een heldere stralende vriesnacht. Het gras kraakt onder zijn voeten alsof hij op glasvezels loopt.

Waarheen te gaan?
Hoe lang te lopen?

De tuin om hem heen is groot. Groeit. Het duurt lang voor hij het hek heeft gevonden en op straat staat. Jaren verstrijken. Levens worden geleefd. Een vrouw zat voor een spiegel en heeft zichzelf oud zien worden. Een man is weggegaan.

Hij loopt in een rechte lijn. In cirkels. Het huis schuift met hem mee.

Achter hem de donkere tuin. In de slaapkamer alleen een klein lampje.

Hij denkt dat hij nu wel ver genoeg is.

Engeland.
Badplaats.
Kamer.
Een die alles had wat een kamer nodig heeft: een tafel, een stoel en een bed.
Niets dat meer van hem vroeg.

*

Het is nog licht als hij – op zoek naar restaurant of eetcafé – over straat loopt. Het is bijna etenstijd en de meeste voetgangers passeren hem haastig. Hij wil het restaurant net binnengaan als de Engelsman naar buiten komt door de grijze tochtgordijnen. Een lichte schok. Ze herkennen elkaar onmiddellijk.
'Wat doe jij hier?'
'Niets... Ik...'
De man wijst naar binnen om aan te geven dat hij wilde gaan eten. Dan dringt tot hem door dat de Engelsman natuurlijk wil weten wat hij hier, op deze plek, doet.
'Niets,' zegt hij. 'Werken.'

'Hier?' Verbaasde blik. 'Sinds wanneer?'

De man kijkt om zich heen, alsof hij een vluchtweg zoekt, maar het is duidelijk dat het beleefdheidsgesprek – al is het kort – gevoerd moet worden.

'Half jaar geleden.'

'Een half jaar geleden?' De Engelsman bekijkt hem van top tot teen – met de blik van iemand die gewend is dat er op dezelfde onbeschaamde manier naar hem gekeken wordt, nauwlettend en zonder haast.

'Dat is mijn maat. We hebben samengewerkt,' zegt hij tegen het meisje dat achter hem vandaan komt. Ze is erg jong, en slordig opgemaakt, met zwarte strepen onder haar ogen. Verveeld leunt ze tegen de wand en pulkt aan de goedkope houten latjes van de lambrisering.

'Dat is Natalie,' zegt Melvin. 'Die volgt me als een hondje. Heeft een heel speciaal neusje, ruikt geld.' Hij trekt een propje bankbiljetten uit zijn jas. Wappert er pesterig mee in de richting van het meisje. Lacht. Brengt zijn gezicht dichterbij. Het komt de man voor dat van alle gezichten waaraan hij gewend is geraakt, dat van de Engelsman – al is het onvrijwillig – hem het meest vertrouwd is geworden.

'Hoe ben je hier gekomen? Met de trein en boot?'

Hij had het prettig gevonden, de boot. Het water, de geur van olie, het dompedompedomp van de motoren.

Hij had gekeken naar de passagiers. Zich voorgesteld dat er van nu af geen anderen meer zouden komen. De rest van zijn leven – dat als een laken voor hem lag – zouden alleen onbekenden hem omringen.

'Trein en boot, ja,' zegt hij.

Harde muziek uit het restaurant.

Een hoge vrouwenstem.

Hij wil de Engelsman vertellen over zijn vlucht. Hoe wonderbaarlijk los en vrij hij was.

'Herinner je je de calculator? Die met dat neushaar? Die heeft de loterij gewonnen. Die wint die kloteloterij en weet je wat hij doet? Hij koopt een Chevrolet en rijdt zich met zijn pafferige kop dezelfde dag een rolstoel in!'

Het meisje geeuwt, pulkt verveelt aan een korstje op haar elleboog. 'Are we leaving now, Mel?' Hij ziet de rode binnenkant van haar mond. 'You promised we'd go to the casino.' Ze draagt een Afghaanse jas met rafelige bontranden waar haar benen dun, maar sierlijk onderuit steken, en heeft kleine wondjes op haar kuiten.

In verwarring loopt hij over straat. Passeert een stalletje waarin een Chinees miesoep verkoopt. Daartegenover is een telefooncel.

Het licht om hem is groengelig.

‘Hallo?’

Stilte.

Hij ademt en luistert naar de stem van de vrouw die van ver dichtbij komt.

‘Hallo?’

Hij schraapt zijn keel.

‘Wie is daar?’ vraagt ze. ‘Ben jij dat.’

De man wacht af. Droevig-blij. In grote spanning.

‘Hallo?’

Nog één keer, denkt hij. Als ze nog een keer naar mijn naam vraagt, zal ik bestaan.

Maar dan heeft ze al neergelegd.

Tussen de huizen hangen vlokkige wolken. Uit het stalletje van de Chinees de geur van miesoep.

Een man die terugkeert.

*

Na trage, stroperige ochtenden op school rende hij als jongen vaak hard naar huis. Stampte en dreunde op de trap. Maakte zoveel lawaai als mogelijk was, zonder te weten waarom. Zwaaide – op zijn huid de kou van buiten – wild de deur open. Kwam tot stilstand tussen de verbijsterende stomheid van de dingen: het bureautje, de eendeurskast, het bed. De argeloze groene wollen deken die zich zwijgzaam en langgerekt uitstrekte van hoofd naar voeteneind.

*

Hij staat bij de tuin, ziet de struiken en de bomen. Het is donker. De gordijnen zijn geopend en door het raam heen is de vrouw zichtbaar. Ze zit in een stoel. Haar voeten steken zijn kant uit. Het huis is vrijwel donker, alleen bij haar stoel brandt een lamp. Het ziet er allemaal schoon en opgeruimd, geordend uit, alsof de voorwerpen zich zonder enig probleem hebben gehergroepeerd rond zijn afwezigheid. Dit vindt de man zowel kalmerend als verontrustend.

Het waait. De takken voor de ramen bewegen.

Aanbellen. De sleutel in het slot steken. Naar binnen gaan.

Zijn plaats aan de tafel innemen.

Zijn benen trillen. Kou van natte aarde dringt zijn schoenen binnen. Binnen krabt de vrouw afwezig aan haar been. Legt het boek opzij. Het is of hij haar steeds gedetailleerder kan zien. De vreugde van dit kijken is zo groot dat de man het nergens mee kan vergelijken.

*

Hij begon haar te volgen. Bezocht de plekken die de vrouw – soms nog geen minuut voor hem – had bezocht. Tijdens die momenten verscheen ze scherper en duidelijker aan hem dan in alle tijd die hij met haar had doorgebracht. De man voelde zich veilig en waakzaam, als een engel die haar behoedde.

*

Het is nog vroeg in de ochtend. In de stad hangt een blauwgrijzig licht. Een vrouw gooit een emmer schuimend water leeg over de stoep. Hoewel de straat nog moet ontwaken, is de kapperszaak al een tijdje open. Er zijn wat mensen zichtbaar, maar vaag, niet helemaal helder. Het zijn vooral de schimmige bewegingen, de bedrijvige handen van de kapper en het achterhoofd en het profiel van de vrouw.

De man staat aan de overkant en volgt die bewegingen binnen. Als ze naar buiten komt, houdt de kapper de deur nog even voor haar open. Haar haar is een stuk korter, wat haar vreemd genoeg ouder maakt. Ze loopt rustig, blijft even staan bij een etalage. Sluit haar jas. Loopt verder.

De man aarzelt. Kijkt haar na.

Er zit nog een oude man in de kapperszaak, maar die is

bijna klaar. Hij wordt door de kapper formeel, maar vriendelijk begroet.

'Morgen, meneer. Wat kan ik voor u doen? Knippen, wassen, scheren?'

'Ja, alstublieft,' zegt hij, terwijl zijn ogen de zaak rondgaan en de stoel zoeken waar ze gezeten heeft.

'Als u hier wilt gaan zitten, meneer, ik kom zo bij u.' Hij schuift alvast een stoel aan en loopt weg. Opent de deur voor de man met de volle grijze haarbos en laat hem uit. Pakt dan zijn spullen en rijdt die in een karretje voor. De man kijkt rond. Naar de stoelen, de glanzende wasbakken.

De kapper is snel en goed. Bindt hem een kapmantel om en buigt zijn hoofd naar achteren, houdt het rustig in zijn handen om het in een van de wasbakken te wassen. Nu kijkt de man naar het plafond terwijl de kapper zijn haar wast. Voelt het warme water over zijn schedel stromen.

'Dit is toch een herenkapperszaak?' vraagt hij.

'Jazeker meneer.' Oprechte trots van de kapper. 'Al meer dan vijfendertig jaar, ik zit al vijfendertig jaar op deze plek.'

De handen van de kapper zijn vaardig. Trippelen over zijn hoofd als muizenpoten.

'Maar ik zag net een vrouw hierbinnen?'

'Wanneer meneer?'

'Nou... net... Een kwartiertje geleden. Voor mij.'

De man zit weer rechtop, mantel en handdoek over zijn schouder. Hij kijkt naar zichzelf in de spiegel. Via de grootste, schuin geplaatste, is ook een stukje van de straat te zien. Van de plek waar hij zelf net gestaan heeft.

'O, o ja. Ja,' zegt de kapper. 'Het is niet verboden. Als een vrouw door mij geknipt wil worden, dan knip ik haar. De schaar ziet geen verschil. Het haar van mannen is stugger. Dat wel.'

Bij wijze van demonstratie neemt hij een streng in zijn handen.

'Je moet het vaker snijden. Het valt wat anders. Het is anders van – hoe zal ik het zeggen – structuur. Het uwe bijvoorbeeld, dat is heel dik. Dat is stug haar.'

Druppels water die van zijn hoofd af in de wasbak glijden.

'Alhoewel zij ook dik haar heeft. Ze komt hier nog af en toe. Ik ken haar. Ik heb haar vader nog geknipt. Die hele familie. Ze kwamen altijd op zaterdag. Vader. Vijf jongens. Een meisje. Groot gezin. Haar vader fotografeerde. Hij gebruikte ze altijd als modellen. Ze zat hier wel eens in een vuurrood jurkje met zo'n ouwelijke ketting om.'

De blik van de man valt op de jongen die een stoel verderop met een bezem haar afgeknipte haren wegveegt. Het shhhshhh-geluid is duidelijk en goed te horen. Hij luistert en kijkt er geobsedeerd naar, ziet hoe de donkere plukjes onder de stoel waarop zij heeft gezeten, zich op één plek beginnen te verzamelen. De kapper wrijft over zijn schedel. Begint hem te knippen, op een ouderwetse, ambachtelijke manier. Met helder, soepel en eenvoudig knipwerk. Zijn haren vallen op de grond en het hulpje veegt ook die mee.

Dan ziet de man hoe de laatste haren worden weggeveegd en in een plastic zak verdwijnen, ook wat van zijn hoofd afkomstig is, verdwijnt in de zak.

Hij volgt dit allemaal aandachtig.

De kapper pakt ondertussen de scheerspullen. Begint zijn kin in te zepen. Zet een ouderwets mes in een hoek op de huid en houdt zijn hoofd achterover tussen zijn handen. 'Barnsteen. Niets voor een meisje. In mijn tijd was dat voor oudere vrouwen. Het was net zwaankleefaan die familie. "Meneer", dat herinner ik me nog heel goed. Hij wilde aangesproken worden met meneer. Zelfs door zijn eigen kinderen. "Mag ik naar de wc, meneer?"'

Het mes schraapt langs de kaak van de man. 'Zijn vrouw had hem verlaten. Van de ene dag op de andere. Hem, het huis, al die kinderen. Voor haar minnaar. Kon zich nergens meer vertonen, natuurlijk. Is naar het buitenland gegaan.' De kapper doopt het mes in de kom met water. Zet het opnieuw strak op zijn kaak.

Heldere tikjes daar waar de kapper het mes even tegen de kom aanslaat. Schuim in kleine bergjes, drijvend op het water.

'Een gekrenkt man,' zegt hij. 'Tegen het eind van zijn

leven kwam ze nog wel eens met hem. Wilde hij geknipt worden, maar dat was eigenlijk niet meer nodig. Je blies het haar zo (maakt blaasgeluid) van zijn schedel af.'

'Ze komt nog wel eens... Mooi haar.' Nu legt de kapper de laatste hand aan het werk. Zijn vingertoppen kneden en masseren de huid. Dan dept hij de huid met aftershave en trekt de mantel om zijn bovenlichaam met een zwaai weg, alsof hij een standbeeld onthult.

'Zo meneer, dat is meteen een heel ander gezicht.'

*

De man luistert niet meer, volledig geabsorbeerd door de reflectie van de dikke zwarte stoelen, de witte waskommen in de licht verweerde spiegel – en van zijn eigen hoofd dat teder gedraaid en gestuurd wordt. Hij heeft het gevoel dat hij ze kan zien: vijf jongens in witte stijve hemden, een meisje met een ouwelijke barnstenen ketting, een vader die er op staat – vanaf een zeker punt in zijn leven – om met 'meneer' te worden aangesproken.

Het is alsof hij haar overal kan zien en horen, en of de achterliggende periode trots en glanzend voor hem ligt als een koperen schaal.

*

Het is een toevallige ontmoeting.

De vrouw staat op het punt het warenhuis uit te lopen als de man net binnenkomt. Van schrik staan ze schutterig en onhandig in het looppad. Iemand duwt haar in het voorbijgaan tegen een bak vol knalgele Pokémons. Verontwaardigd wil hij ingrijpen. Ze kijken elkaar even kort aan. Hij neemt haar bij haar pols. Als ze al buiten lopen heeft hij haar hand nog steeds omklemd. De blik van de vrouw glijdt naar zijn hals, zijn wangen, zijn armen. Ze ziet dat hij wat ouder en grauwer is. Zonder het met elkaar te overleggen gaan ze het grand café binnen.

Bruine ventilatoren verspreiden een koele wind. Water wordt met hoge druk door donkere koffie in filters geperst. Geschuif van stoelen. Iemand die hoest. De man en de vrouw bestellen koffie en zitten zwijgend tegenover elkaar. Het is de vrouw die nerveus, jachtig begint te praten, alsof ze bang is om onderbroken te worden. Die naar hem kijkt, naar zijn polsen, de huid van zijn wangen, alsof ze de kaart in haar hoofd vergelijkt met het echte gebied.

Soms droomt ze dat hij gewoon bij haar zit, met het kindje tussen hen in. Dat hij weer bij haar aan tafel zit. Maar als ze naar ze kijkt, zijn hun gezichten helemaal leeg. Is ze hun gezichten vergeten.

Dan schrikt ze wakker en durft ze niet meer te slapen. Durft ze niet.

Ze weet nog heel goed, toen ze hem zag... die eerste keer. Zijn handen. Ze dacht: iemand die dingen kan maken. Ze keek naar hem. Als hij bezig was en het niet zag.

Anderen vonden het vreemd... dat hij zo snel introk. Vond ze niet te snel.

Hij zei dingen... dat het lang geleden was. Lang geleden dat hij bij een vrouw was. Vond ze prettig...

Ze wilden niet meer naar buiten. Ze zag het als hij weg moest of terugkwam van zijn werk.

Ze waren allebei bang om weg te gaan.

De man luistert aandachtig. Kijkt. Ze heeft haar gezicht gepoederd, maar er te veel van gebruikt. De poeder is gaan klonteren tussen de donzen haartjes op haar wangen.

Dag en nacht vroeg ze zich af: waarom heeft hij het weer bij haar in bed gelegd? Waarom heeft hij het gewoon teruggelegd in bed?

Het was nog zo klein.

Het lag daar de hele nacht en ze had niets gemerkt.

Het was zo stil. Waarom hoorde ze dat niet?

De stem van de vrouw is trillerig. Alsof ze op het punt staat te huilen. Maar ze huilt toch niet.

Geluid van het stomend espressoapparaat. Kopjes en borden en glazen die worden opgetild en neergezet. Een ober die langsloopt en kijkt of ze nog iets willen drinken.

's Nachts denkt ze aan hem.

Ze weet wel wat hij gedaan heeft, maar dat helpt niet.

Ze raakt zichzelf aan, terwijl ze aan hem denkt.

Als ze in bed ligt, denkt ze dat ze hem kan horen in de tuin... Dat ze ze allebei kan horen.

Haar gezicht licht even op. Krijgt iets koortsachtigs. Haar ogen glanzen.

Soms droomt ze dat ze hem vermoordt. Met het geweer van beneden.

Het wordt later. Er komen weinig nieuwe mensen binnen. Het is te druk, er is geen plaats. Over degenen die er zitten, komt de lome rust van mensen die weten dat ze volkomen op hun plek zijn, waar ze zich nu bevinden. En dat het terecht is dat anderen die door de ramen naar binnen turen, via de draaideur op de mat belanden en zoekend rondkijken, zich ongemakkelijk voelen onder de ogen van al die mensen die met vorkjes in gebak prikken, schuimende koffie drinken, om alcohol en broodjes vragen. Het is zaterdag en de stad zit vol.

'Het gleed. Het gleed weg,' zegt hij.
Zijn handen trillen nu hevig.
'Ik was bang,' zegt hij.

De man kijkt naar de vrouw. Opnieuw is alles wonderlijk vertrouwd. Het heeft zelfs al iets van de vermoeidheid tussen mensen die elkaar lang, of erg goed kennen.
'Denk je er aan... aan ons?' vraagt de vrouw.
Ze kijkt paniekerig.
'Soms ruik ik 's nachts ineens zijn hoofdje. Overdag nooit. Nergens.'

Hij mist ze. Mist haar. Hij zegt het na lange tijd en grote moeite. Maar al voelt hij medelijden met de vrouw, het wordt duidelijk dat de afgelopen periode, waarin hij haar op afstand volgde, de kalmste, vredigste is geweest. Hij steekt zijn hand uit. Wil haar aanraken over tafel. Durft het niet.
Hij wou dat hij daar nooit gekomen was.

In de ruimte worden nieuwe lampen ontstoken. In het

voorbijgaan ziet het oververhitte personeel – druk bezig met het serveren van maaltijden – ze zitten. Een nieuwe stroom mensen zoekt naar vrije tafeltjes. Iemand botst tegen dat van hen. Merken ze niet. Ze praten over de toekomst van het kind.

De vrouw zegt: 'Hij zou groter worden dan jij. Op een dag zou hij boven je uitsteken.' Heftig: 'Dat doen kinderen. Je zou doen alsof je het niet zag. We zouden doen alsof hij kleiner was.'

De man zegt: 'Hij zou een moeilijke eter zijn. We zouden van alles proberen.'

'Hij zou opgroeien. We zouden oud worden en hij zou weggaan. Hij zou uit huis gaan en ons vergeten,' zegt de vrouw. 'We zouden er trots op zijn dat hij ons vergeten had.'

'Als het sneeuwde,' zegt de man, 'zou hij sneeuw binnenbrengen, met twee handen. Dat wil hij bewaren bij de haard. Hij wordt boos als ik zeg dat dat niet kan.'

'Hij leek niet op ons. Zijn gezicht werd heel anders. We zouden niet weten hoe hij aan dat gezicht kwam.'

De vrouw zit tegenover hem. Ze weet dat ze het hem nooit zou kunnen vertellen. Over het soort onkwetsbaarheid dat zich maar eens in je leven voordoet, wanneer je nog niet weet wat je beïnvloeden zal, de tijd waarin de dingen gewoon gebeuren, je passeren. Waarin je niet de schaatser bent, maar het ijs. Het donkere ijs. Stevig en ondoordringbaar.

'Volg me niet meer,' zegt ze.

Ze staat op van het tafeltje. Zoekt haar jas en verlaat door de draaideuren het café. Hij kijkt haar na. Ziet hoe eenvoudig ze oplost in de stroom van mensen.

Geroezemoes vult de ruimte. In het gangpad huilt een meisje in een rood maillootje dat ze moet plassen. Een vrouw wringt zich geërgerd naar voren, duwt het gehaast richting wc's.

Dan staat ook hij op. Maar er is niemand die dat nog ziet.

Van dezelfde schrijfster

Begeerte
verhalen

De overrompelende, passievolle verhalenbundel waarmee Manon Uphoff debuteerde. Met klassiek geworden verhalen als 'Poep' en 'Vlees'. *Begeerte* werd genomineerd voor de AKO-literatuurprijs 1996, de Anton Wachterprijs 1996 en de ECI-Prijs 1997.

'Wat een hartstocht, gevoeligheid en beschrijvingskunst spreidt Uphoff hier tentoon.' NRC HANDELSBLAD

Gemis
roman

In haar betoverende stijl schildert Manon Uphoff de wereld van een meisje in de puberteit. *Gemis* viel nominaties ten deel voor de Libris Literatuurprijs 1998 en de Betje Wolff Prijs 1998.

'Aan de hand van Mara Astheim geeft Manon Uphoff een intrigerend, boeiend en overtuigend beeld van het hedendaagse leven, op een manier die getuigt van groot talent.' JURY LIBRIS LITERATUURPRIJS

De fluwelen machine
verhalen

In haar derde boek trekt Manon Uphoff opnieuw alle registers van haar rijke fantasie open. In deze soms huiveringwekkende verhalen onderzoekt ze de grensgebieden tussen wellust en waanzin, pijn en passie. Met haar geroemde stilistische vermogen is *De fluwelen machine* een nieuw hoogtepunt in een stijlvol oeuvre.

'De enige manier waarop literatuur overtuigend kan zijn.' DE VOLKSKRANT

Hij zegt dat ik niet dansen kan
verhalende essays

Hoe mooi zou het zijn de wereld te vangen in een volmaakt spiegelbeeld. *Hij zegt dat ik niet dansen kan* is een originele zoektocht van een schrijfster die zich niet zomaar bij de werkelijkheid neerlegt en steeds andere verschijningsvormen van het eeuwig menselijk tekort ontwaart.

'Pittig, precies en persoonlijk – altijd het lezen waard.' OPZIJ